¡Ruedo como puedo!

¡Ruedo como puedo!

ABBY KLEIN

ilustrado por
JOHN MCKINLEY

SCHOLASTIC INC.
New York   Toronto   London   Auckland
Sydney   Mexico City   New Delhi   Hong Kong

A Sydney y Jordan: dos de los chicos más
fabulosos que conozco. ¡Son geniales!
— A. K.

Originally published in English as *Ready, Freddy! Yikes! Bikes!*
Translated by Iñigo Javaloyes.

ISBN 978-0-545-34375-6

Special thanks to Robert Martin Staenberg.

12 11 10 9 8 7 6 5 4   15 16 17 18 19/0

Printed in the U.S.A.   40
First Spanish printing, September 2011

CAPÍTULOS

Tengo un problema.

Un problema muy, pero que muy serio.

Soy el único de mi clase que no sabe

montar en bicicleta y solo me quedan

dos semanas para aprender.

Ahora mismo te lo cuento.

CAPÍTULO 1

Días perrunos

—Chicos y chicas, tengo el placer de presentarles a Lola —dijo nuestra maestra, la Srta. Prats—. Trabaja en un refugio de animales y ha venido a hablarles sobre cómo cuidar a sus mascotas. Y tengo la impresión de que ha traído con ella a uno de sus peludos amiguitos para presentárselo.

—Hola. Me llamo Lola y este es Miki. Es uno de los perros que tenemos en el refugio y necesita un hogar. En nuestro centro

cuidamos animales perdidos o abando-
nados por sus dueños.

—¡Qué lindo! —dijo Sonia—. Ojalá
pudiera llevármelo, pero mis padres no me
dejan tener animales en el apartamento.

—A mí tampoco me dejan —dije yo—.
Vivo en una casa, pero mi mamá es una
fanática de la limpieza y la única mascota
que me deja tener es Mako, mi pececito
dorado.

—Bueno, es que las mascotas son una gran
responsabilidad —dijo Lola—. Requieren
muchas atenciones. ¿Podría alguien decirme
una de las cosas que hay que hacer para
cuidar a un perrito como Miki?

Robi fue el primero en levantar la mano.
Robi es mi mejor amigo y sabe todo lo que
hay que hacer para cuidar bien a una mascota
porque tiene una salamanquesa, una pitón
y un ratoncito. Se podría decir que su casa
es un pequeño zoológico. A su mamá no le

molestan los animales.

—Tienes que darle de comer todos los días —dijo Robi.

—Así es —dijo Lola—. No solo hay que darle la comida suficiente, sino que además tiene que ser la comida adecuada. Mientras mejor sea la comida, más les brillará el pelo y más energía tendrá para jugar contigo. Bien dicho. ¿Alguien sabe qué otras cosas hay que hacer?

—¡Limpiar su cacota! —gritó Max.

—Max —dijo la Srta. Prats—. Para participar hay que levantar la mano.

—Max tiene razón —continuó Lola—. De hecho, limpiar los excrementos es obligatorio. Si sacan a su perro a pasear, por favor asegúrense de llevar algo para recoger los excrementos.

—¡Una palita recogecacas! —gritó Max.

—Max, esta es mi última advertencia —dijo la Srta. Prats—. Si vuelves a hablar sin levantar la mano tendrás que sentarte en la silla.

Cleo levantó la mano y por poco me mete el dedo en un ojo con una de sus uñas pintadas de rojo.

—Yo sé algo superimportante —dijo Cleo.

Cleo está convencida de que todo lo que dice es lo más importante del mundo. ¡Me pone los nervios de punta!

—¿Qué es, cariño? —preguntó Lola.

—Todos los perros tienen que ir al salón de belleza.

—Dirás a la peluquería canina, boba babosa —dijo Max con una mueca—. Los perros no van a los salones de belleza.

—¿Han oído lo que me acaba de decir? —protestó Cleo—. Srta. Prats, creo que se merece un castigo.

—Cleo, aquí la maestra soy yo. Tú preocúpate por tus cosas, que yo me encargo de Max.

—Como iba diciendo —prosiguió Cleo—, todas las semanas llevo a Princesa, mi perrita, al salón de belleza. Allí la bañan, le cepillan el pelo y le ponen lacitos rosados por todo el cuerpo.

—Creo que voy a vomitar —le susurré a Robi.

—Al igual que los humanos, los perros necesitan bañarse —dijo Lola—. Pero no

hace falta llevarlos a una peluquería canina. Puedes bañar a tu mascota directamente en tu bañera.

—BUAGHHHH, qué asco —dijo Cleo arrugando la nariz—. No me gustaría bañarme en la misma bañera que mi perro. Seguramente cogería piojos.

—Yo creo que más bien sería al revés —me susurró Robi—. ¡Cleo le pasaría sus piojos a la

pobre perrita!

Nos partimos de la risa.

—Calixto y Robi, ¿les gustaría decirle algo al resto de la clase? —preguntó la Srta. Prats.

—No, nada —dijimos tratando de no soltar una carcajada.

—¿Hay alguna otra cosa que les parezca importante? —dijo Lola, tratando de captar de nuevo la atención de todos los estudiantes.

Sonia levantó la mano.

—Ejercicio. Las mascotas necesitan correr y jugar. Como yo, que cuando paso mucho tiempo en casa me pongo como una fiera —dijo.

—Muy bien —dijo Lola—. Las mascotas que hacen ejercicio están contentas y sanas. Por eso conviene sacar los perros a pasear. También pueden jugar a la pelota con ellos. ¡Así tanto los dueños como las mascotas hacen ejercicio!

—Bueno, chicos —dijo la Srta. Prats—. Lola tiene que marcharse, pero antes de que se vaya les va a hablar de un evento muy importante.

—¿Una competencia canina? ¿Es una competencia canina? —dijo Cleo entusiasmada—. Estoy convencida de que mi pequeña Princesa quedaría en primer lugar.

—No, no es una competencia canina —dijo Lola—. Se trata de una vuelta ciclista. Necesitamos recaudar dinero para poder seguir cuidando los animales del refugio. La idea consiste en dar vueltas en bicicleta a un circuito que vamos a marcar. Cada vez que los participantes completen el circuito, eso equivaldrá a una vuelta. ¡Y podrán hacer todas las vueltas que quieran! Los que estén interesados, pueden recoger este formulario para conseguir patrocinadores, o sea, familiares o amigos que quieran donar dinero por cada vuelta que ustedes completen. Y

recuerden, el dinero que se recaude es para los animales.

—Me parece una idea divertida —dijo Sonia.

—Así es —dijo Lola—. Si están interesados levanten la mano y les daré uno de estos formularios.

Todo el mundo levantó la mano.

—¡Chévere! Espero poder verlos a todos dentro de dos semanas —dijo Lola mientras repartía los formularios. Luego, le puso la correa al perrito y se dirigió a la puerta—. Muchas gracias a todos por invitarme a su clase.

—¡Guau, guau! —ladró Miki.

—¡Eso quiere decir "hasta pronto"!

CAPÍTULO 2

¿Qué apuestas?

Ese día el único tema de conversación a la hora del almuerzo fue la vuelta ciclista.

—Me encanta la idea —dijo Cleo—. ¡Lo vamos a pasar en grande! ¡Voy a estrenar mi bicicleta nueva!

—Apuesto a que es rosada —dijo Sonia.

—Pues sí —respondió Cloe—. ¿Cómo lo sabías?

—Habrá sido un golpe de suerte —dijo Sonia sonriéndome.

—Además, tiene un cestita preciosa forrada con una tela de flores, lacitos de todos los colores colgando de los puños del manillar y una bocina divertidísima en forma de mariposa.

—¡Qué chévere! —dijo Sonia, y luego se viró hacia mí fingiendo que iba a vomitar.

—Ya lo sé —respondió Cleo ahuecándose los bucles de su cabellera rubia.

—Claro que lo sabes —dije yo entre dientes—. ¿Acaso hay algo que no sepas?

—Mi bicicleta no es nueva —dijo Sonia—, pero pedaleo muy, muy rápido, así que estoy segura de que voy a dar un montón de vueltas y de que recaudaré muchísimo dinero para los animales del refugio.

—Apuesto a que eres más rápida que un tiburón mako —dije yo—. Pueden nadar a 22 millas por hora.

—Imposible —dijo Max—. Apuesto lo

que quieras a que soy más rápido que Sonia.
Todo el mundo sabe que los chicos somos
más rápidos que las chicas.

—¿Todo el mundo? —dijo Cleo apuntando
a Max con su nariz respingona.

Max abrió los ojos y levantó el puño.

—¿Me estás hablando a mí?

—Ay, no —susurró Cleo bajando la mirada.

—Los chicos no son más rápidos que las

chicas, Max —dijo Sonia—. Apuesto lo que quieras a que te gano. Te lo demostraré el día y la hora que tú elijas.

—¿Ah, sí? —dijo Max soltando una carcajada—. Te crees muy lista, ¿no? Muy bien, apostemos. Apuesto la merienda de toda la semana a que doy más vueltas que tú en la vuelta ciclista.

—¡Trato hecho! —respondió Sonia sin

pestañear.

—¿Y tú qué, enano? —dijo Max claván-
dome el dedo en el pecho—. ¿Tú no te
atreves a apostar, tiburón de pacotilla? Oh,
un momento. Claro que no apuestas nada.
Ni siquiera puedes participar en la carrera
porque aún no sabes montar en bicicleta.

—¡Claro que sí! —dije sacando pecho
y tratando de aparentar seguridad en mí
mismo.

—¿Ah, sí? —dijo Max con su sarcasmo
habitual—. ¿Y desde cuándo sabe el bebito de
la clase montar sobre dos ruedas? La última
vez que te vi montar en bicicleta aún llevabas
ruedas auxiliares en la rueda de atrás.

—A lo mejor se te olvidaron las gafas
porque hace tiempo que monto en bicicleta
sin ruedas auxiliares.

—¡Calixto es el mayor embustero del
mundo entero! —empezó a canturrear Max
en voz alta.

—¿Qué? ¡De embustero nada! —respondí

indignado—. Ya lo comprobarás el día de la vuelta ciclista —añadí antes de darle otro bocado a mi sándwich de mortadela.

Pero a Robi se le ocurrió en ese mismo instante darme una patada por debajo de la mesa y me atraganté. Casi se me sale el sándwich por la nariz.

—¿Se puede saber qué estás haciendo? —le pregunté a Robi.

—La pregunta es qué estás haciendo tú —susurró Robi—. No sabes montar sin ruedas auxiliares, amigo. ¡Has mentido!

—Déjame en paz. Yo sé lo que hago.

Volví a mirar a Max.

—De acuerdo. Voy a apostar, pero no contra Sonia. Ella es mucho más rápida que todos nosotros —dije.

Sonia sonrió.

—Hagamos la apuesta entonces, tiburoncito —dijo Max inclinándose hacia mí y echándome su aliento caliente en el cuello—. Pero antes dime, ¿qué quieres apostar

exactamente?

Tenía el pulso acelerado, así que froté mi colmillo de tiburón de la suerte.

—Apuesto que puedo dar más vueltas que tú en la vuelta ciclista —dije.

—¿Tú? ¿Más vueltas que yo? —dijo Max soltando una carcajada—. Eso sí que es bueno.

—No, de verdad. ¿Vas a hacer la apuesta o no? —pregunté haciéndome el duro.

—Claro. ¿Y qué quieres apostar?

—Lo mismo que apostaste con Sonia —dije—. La merienda de toda una semana.

—Bien dicho, Calixto —dijo Sonia lanzando el puño al aire—. ¡Tú puedes hacerlo!

—Muy bien. Acepto —dijo Max.

—Cerremos el acuerdo con un apretón de manos —dije extendiendo mi derecha.

Max me agarró la mano y empezó a apretar tan fuerte que pensé que me la iba a partir, pero no hice el más mínimo gesto de dolor.

—No puedo creer que hayas hecho eso —susurró Robi un momento después—. Creo que has perdido la cabeza.

No tuve más remedio que dejar lo que me quedaba de sándwich porque creí que estaba a punto de vomitar.

CAPÍTULO 3

La chismosa de Susi

Esa noche, a la hora de la cena, mi hermana Susi tuvo que abrir su enorme bocaza.

—Papá, mamá, ¿saben qué? Hoy he oído que el refugio de animales...

Susi no pudo terminar la oración sin que la maniática de la limpieza de mi mamá la interrumpiera.

—¿Refugio de animales? Pon el freno, amiguita —dijo mamá—. Creo que no me va a gustar lo que estás a punto de decir.

Ustedes dos saben perfectamente que no quiero ningún animal en esta casa.

—Ya lo sé, ya lo sé, mamá —respondió Susi—. Te lo aseguro. Pero esto no tiene nada que ver con adoptar una mascota. Lo que quería decirles es que el refugio de animales va a organizar una vuelta ciclista para recaudar fondos. ¿Puedo participar?

—Me parece una excelente idea —dijo mamá—. Tienes permiso, siempre y cuando no regreses a casa con un animal.

—¿Y tú qué, Calixto? —preguntó papá—. ¿Vas a participar?

Antes de que pudiera abrir la boca, Susi se me adelantó.

—No puede —dijo.

—¿Cómo que no puede, Susi? Pues claro que puede —dijo mamá sonriendo.

—No, no puede. Para participar hay que saber montar bicicleta, y este bebito aún usa ruedas auxiliares en su bicicleta —dijo Susi chupándose un dedo.

—¡No soy ningún bebito! —grité.

—Vamos, Calixto, no le hagas caso —dijo mamá.

"Decirlo resulta muy fácil", pensé.

—¿Estás seguro de que no permiten usar bicicletas con ruedas auxiliares? —preguntó papá.

—Ah, muy bien. ¿No me creen? Pues ahora les enseño el formulario de inscripción —dijo Susi levantándose de la mesa. A los pocos segundos trajo el formulario y se lo puso a mi papá delante de las narices—. Mira, aquí lo dice. Solo se permiten bicicletas de dos ruedas.

—Un momento, Susi —dijo papá—. No puedo leer el papel si no te tranquilizas. ¿Puedes dármelo, por favor?

Papá leyó la nota en silencio y me miró por encima de las gafas.

—Creo que Susi tiene razón. No se permiten las ruedas auxiliares.

—¡Te lo dije! —dijo Susi sonriendo como una idiota.

—¡Te lo dije! ¡Te lo dije! —repetí—. ¿Por qué tienes que ser tan fastidiosa todo el tiempo?

—¿Y a ti quién te ha dado permiso para ser mi hermano? —respondió.

—Pues para que lo sepas, doña Sabelotodo, voy a participar en la vuelta ciclista.

—¿Ah, sí? ¿Cómo?

—Voy a montar sin ruedas auxiliares.

—Eso es lo más chistoso que he oído en toda mi vida —dijo Susi muerta de la risa—. No hay ningún encantamiento mágico para aprender a montar bicicleta. ¿O acaso crees que puedes usar una varita mágica y convertirte en Lance Armstrong?

—¡Qué tonta eres! ¡Pues claro que no!

—Bueno, ya está bien —interrumpió papá—. Calixto, explícame tus planes. ¿Qué quieres decir con que vas a montar sin ruedas auxiliares?

—Se lo he dicho a todo el mundo en la escuela, así que no me queda más remedio.

—¿Y por qué has dicho eso, mi amor? —preguntó mamá—. Si sabes que no puedes, ¿por qué vas por ahí diciendo que sí?

—No quería que me tomaran por un bebé —dije a punto de llorar—. A estas alturas todo el mundo sabe montar sin ruedas auxiliares menos yo. Tengo terror a caerme y romperme un brazo. Ya me pasó una vez

y no quiero que vuelva a suceder. Fue fatal
—dije limpiándome la nariz con la manga de
la camiseta.

—Oh, mira, ahora el bebito está a punto
de llorar —dijo Susi.

—¡Ni una palabra más, Susi! —dijo papá—,
o te vas a tu habitación. Así que calladita.

—Estoy segura de que se nos ocurrirá algo, cariño —dijo mamá dándome un beso en la mejilla.

—Por supuesto que puedes aprender —dijo papá—. Es muy fácil, Calixto. Te prometo que te enseñaré.

—¿De verdad crees que puedo aprender en solo dos semanas, papá?

—Si te empeñas, puedes conseguir cualquier cosa —dijo—. Pero vas a tener que esforzarte y practicar, practicar y practicar.

—Practicaré todo el día si hace falta.

—¡Así se habla! —dijo papá con una sonrisa—. Ya verás que lo consigues.

—¿Podemos empezar ahora? —dije levantándome de la silla de un salto—. ¿Porfa, papi, porfa?

—Me alegro de que estés tan entusiasmado, pero se ha hecho demasiado tarde y ya oscureció. Pero escucha lo que te voy a decir. Descansa bien esta noche. Mañana es sábado, así que podremos empezar desde bien temprano en la mañana.

—Gracias, papi, siempre puedo contar contigo —dije abrazándolo—. Saca la llave inglesa ¡porque mañana vamos a quitarle las ruedas auxiliares a mi bicicleta para siempre!

CAPÍTULO 4

Adiós, ruedas auxiliares

Al día siguiente me levanté a las 5:00 a.m. Era el gran día. El día en que aprendería a montar bicicleta y me convertiría en un chico grande.

Me puse mis calzoncillos de tiburón, uno de mis amuletos favoritos, y cuando acabé de vestirme bajé corriendo para ver si mis padres ya se habían levantado. Entré en la habitación y me acerqué a mi papá de puntillas. Me quedé mirándolo. Tenía su cara tan cerca que podía sentir su aliento en la mejilla. De pronto, abrió los ojos de golpe.

—¡AAAAAHHH! —gritó—. Calixto, ¿se puede saber qué estás haciendo aquí? ¡Me has dado un susto terrible!

—Ya estoy listo, papá —dije con una sonrisa de oreja a oreja.

—¿Listo para qué? —respondió frotándose los ojos y bostezando.

—¡Listo para montar sin ruedas auxiliares! ¡Listo para dejar de ser un bebé y convertirme en un chico grande!

—¿Qué hora es?

—Son las 5:05 a.m.

—¿Estás hablando en serio? —protestó papá—. Calixto, es demasiado temprano para montar bicicleta. Déjame seguir durmiendo.

—¿Pero cómo puedes dormir en un día

como este, papá? —pregunté quitándole las sábanas—. No hay tiempo que perder. Vamos, levántate.

—¿Por qué no te vas a tu cuarto y procuras dormir un poco más? —dijo papá dándose media vuelta.

—Pero papá, yo...

—Mira, Calixto, como no me dejes dormir no te voy a sacar a montar bicicleta. ¡A la cama!

—Bueno, está bien —murmuré—. Pero te advierto que como no estés levantado a las 7:00 en punto, voy a venir por ti.

—Buenas noches —gruñó papá tapándose la cabeza con la sábana.

Esas dos horas duraron dos años, pero papá acabó por levantarse y bajó a desayunar.

—Ya era hora, papi. ¡Pensé que no te ibas a levantar nunca! Bueno, ¿listo para empezar?

—Si no te importa me gustaría desayunar antes. Voy a necesitar energía.

—¿Desayunar? No hay tiempo para desayunos, papá. Tenemos que salir ahora mismo —dije halándole la camisa—. Vamos. Ya comerás luego.

—Pon el freno, Ratón —dijo papá—. Los dos tenemos que comer algo.

—Tu papá tiene razón, Calixto —dijo

mamá—. Necesitas energía para practicar. ¿Te preparo unos panqueques y huevos?

—No, mamá. Eso va a tardar demasiado tiempo. Solo quiero un tazón de cereal.

—Por cierto, Daniel, ¿adónde vas a llevar a Calixto a practicar? —preguntó mamá.

—¿Por qué no lo llevas al parque de la escuela? —dijo Susi—. Ahí fue donde yo aprendí a montar. Además es muy seguro porque si se cae irá a parar a la hierba.

—¡Oh, no! ¡Al parque de la escuela ni hablar!

—¿Por qué no? —preguntó Susi.

—Porque les dije a todos mis amigos que sé montar bicicleta y no quiero que me vean tomando lecciones. Si Max descubre la verdad se pasará la vida llamándome bebé.

—Bueno —dijo papá—. Ya se nos ocurrirá otro lugar parecido.

—Piensa, piensa, piensa —repetí golpeándome la frente con la palma de la mano.

—¿Qué haces, tonto? —dijo Susi—.

¿Hablando solo?

—Estoy pensando en algún lugar donde podamos ir. Estamos perdiendo tiempo. Tiempo que podríamos emplear en practicar.

—Ya lo tengo —dijo Susi—. ¿Por qué no van a ese parque grande que hay cerca de la casa de los abuelos? Tiene un campo de béisbol enorme y no creo que haya nadie

por allí porque aún no ha empezado la temporada de béisbol.

Me levanté de la silla de un salto y corrí a abrazar a Susi.

—Eres la mejor hermana del mundo.

—Ya lo sé —dijo—. Pero como no me sueltes rápido se me va a salir el desayuno por las orejas.

—Ah, claro —dije.

Luego agarré mi casco y salí corriendo hacia la puerta.

—¡Vamos! ¡Vamos! —dije—. ¿Qué esperan? ¡Vámonos!

CAPÍTULO 5

¡A comer hierba!

Subimos al auto y fuimos hasta el parque cerca de la casa de mis abuelos. Susi nos acompañó. Decía que quería ayudar. Aunque yo creo que solo quería presumir. Bajamos las bicicletas del auto. Susi se subió a la suya y empezó a montar mientras yo llevaba la mía caminando. Nos acercamos al parque y, por suerte, no había nadie.

—¿Ves? Te dije que en este parque podrías aprender —dijo Susi con su voz de sabionda.

—La verdad es que sí —dijo papá—. Es el lugar perfecto para que practique tu hermano. Bueno, Ratón, ¿preparado?

—Creo que sí —respondí con la voz un poco temblorosa y el estómago revuelto.

—¿Qué? ¿El bebé está un poco asustadito? —dijo Susi.

—¡Cierra el pico! —respondí—. ¿Papá, por qué la dejaste venir?

—Susi —dijo papá—. Te traje porque dijiste que querías echar una mano. Pero no me parece que eso es lo que estás haciendo. Tenemos que animar a Calixto y ayudarlo. ¿Crees que podrás hacerlo?

—Está bien —dijo Susi mientras se alejaba.

—Mejor. No necesito su ayuda para nada —dije entre dientes.

—Bueno, vamos a ver —dijo papá—. Calixto, ¿por qué no te pones el casco, te montas en tu bicicleta y empiezas a pedalear? Yo te aguantaré por atrás, y cuando vea que conseguiste el equilibrio te suelto, ¿de acuerdo?

—De acuerdo, papi.

Froté con fuerza mi colmillo de tiburón y me monté en la bicicleta.

—Allá voy —dije, y empecé a pedalear—. Eh, esto es más fácil de lo que yo pensaba.

—No tan rápido, Campeón —dijo papá corriendo detrás de mí—. Recuerda que te tengo sujeto por atrás. Cuando tú me digas te suelto.

—¡Cuando quieras, papá! ¡Esto es pan comido! ¡Suelta!

Y antes de que me diera cuenta aterricé de cara y acabé con la boca llena de hierba. Mientras la escupía, pensé que eso era lo que comían las vacas y que sabía a rayos.

Papá y Susi llegaron corriendo.

—Calixto, Calixto, ¿estás bien? —preguntó papá quitándome la hierba de la cara.

—Tremendo aterrizaje —dijo Susi—. Es una pena que no tuviéramos la cámara de video. Podríamos haberlo enviado a un programa de videos cómicos.

—Creo que estoy bien —dije mientras me levantaba limpiándome la cara—. Uff, qué hierba más asquerosa.

—Pues prepárate porque me temo que vas a probarla varias veces —dijo papá—. Pero

eres un tipo duro. Quiero que esta vez mires hacia adelante, y procura no girar tanto el manillar.

—Y no dejes de pedalear cuando papá te suelte —añadió Susi.

—No sé si voy a recordar todo eso —dije.

—Ya te lo iremos recordando —sonrió papá—. Vamos, arriba.

—¿Y si me vuelvo a caer?

—Ah, claro que te vas a volver a caer —dijo papá—. Hasta que no aprendas a mantenerte en equilibrio te vas a caer unas cuantas veces.

—Es verdad, yo también me caí un millón de veces cuando estaba aprendiendo —añadió Susi.

—¿De verdad?

—Sí, de verdad. Pero al menos estás en la hierba, así que no te vas a hacer mucho daño.

—Vamos, Calixto. Arriba —dijo papá dando un manotazo en el asiento de la bicicleta.

Me subí y empecé a pedalear.

—Ahora te voy a soltar —prosiguió papá—. No te olvides de mirar hacia adelante y de mantener el manillar recto.

—¡Y recuerda seguir pedaleando! —gritó Susi.

—¡De acuerdo!

—Prepárate, Calixto. Voy a soltarte —dijo papá.

—¡Está bien!

"Mira adelante, mantén recto el manillar, pedalea", me repetía una y otra vez.

Esta vez creo que logré dar tres pedaleadas antes de aterrizar de cara.

—Un poco mejor —dijo papá—. Pero si crees que te vas a estrellar, no pongas el pie en el suelo. Pedalea hacia atrás, así es como frena tu bicicleta.

Creo que estuvimos practicando durante al menos tres horas. Lo iba haciendo mejor poco a poco, pero a ese ritmo no iba a estar listo para la vuelta ciclista, a menos que la convirtieran en una vuelta suicida.

—Nooo, papá, espera. Un poco más.

—Lo siento, Calixto, pero estoy agotado. No puedo correr más. Pero no te preocupes, mañana volveremos. Aún faltan dos semanas

para el gran día.

A lo mejor a él dos semanas le parecían mucho tiempo, pero a mí me parecía que estaban al doblar de la esquina. Y si no lograba participar en la vuelta ciclista, ¿qué cara iba a poner al día siguiente en la escuela?

CAPÍTULO 6

De mal en peor

Me pasé todo el fin de semana practicando, pero siempre terminaba en el suelo o dándome un trastazo contra algo. ¿Quién me habría mandado a abrir la bocaza y hacer la estúpida apuesta con Max?

A la mañana siguiente me puse unos pantalones largos y una camiseta de manga larga para que nadie viera mis moretones. Cuando subí al autobús, todo el mundo estaba hablando de la vuelta ciclista.

Cleo estaba presumiendo, como siempre.

—Ya tengo algunos patrocinadores para la carrera —dijo—. Mi abuela me ha dicho que va a darme cien dólares por cada vuelta que dé. ¿Me oyeron? ¡Cien dólares!

—¡Que te aprovechen! —dije entre dientes.

—Siéntate y cierra la bocaza, presumida —dijo Max—. Te crees lo máximo, ¿no? Pues para que te enteres, no lo eres.

Robi y yo nos empezamos a reír.

—No puedo creer que le haya dicho eso en la cara —susurró Robi.

—¡Se lo merece! ¿Viste qué cara puso Cleo?

—Qué malo eres, Max Sellars —dijo Cleo agitando sus ricitos dorados—. Ya verás cuando lleguemos a la escuela. Se lo voy a decir a la Srta. Prats y te vas a buscar tremendo lío.

—Ay, qué miedo —dijo Max haciendo como si temblara.

Cleo se sentó en su asiento y en ese mismo

momento se acabó la diversión porque Max se volteó hacia mí.

—Y qué, Calixto, ¿estás preparado para el gran día? —dijo con su sonrisa malvada.

—Claro que sí —dije tratando de tragar saliva.

¿A quién estaba engañando? No estaba listo, ¡para nada! Solo iba a hacer el ridículo.

—¿De verdad? ¡Me muero de ganas de darles la paliza de sus vidas! —dijo Max relamiéndose los labios.

—No estés tan seguro —dijo Sonia—. No te vas a llevar ni mi merienda ni la de Calixto. Es más, vas a arrepentirte de haber hecho esa apuesta. ¿A que sí, Calixto? —dijo Sonia mirándome.

—Esto… claro, claro —dije bajito.

Como no sonaba muy seguro todos me miraron. Tenía que decir algo para que no pareciera que le tenía miedo.

—Max, puede que asustes a ciertas

personas, pero a Sonia y a mí no nos das ningún miedo. Así que prepárate porque el sábado vas a hacer el ridículo.

Y terminando de decirlo me arrepentí de haber hablado. Pero ya era demasiado tarde. Las palabras habían salido de mi boca y todos en el autobús las habían oído.

Todos parecían asombrados.

Sonia me dio una palmada en la espalda.

—¡Así se hace, Calixto! —gritó.

—Ni lo sueñes, enano. Por mucho que te hagas el duro nunca me ganarás en nada —dijo Max dejándose caer en su asicnto.

En ese momento Robi me dio un golpecito con el codo.

—Ahora sí te volviste loco —dijo—. ¿Cómo

se te ocurre pensar que puedes ganarle a Max Sellars?

—No lo sé —susurré agitando la cabeza—. Creo que necesito un milagro.

—Quizá pueda ayudarte —susurró Robi—. Yo no hago milagros, pero tengo un buen truco. Después de la escuela pasaré por tu casa para enseñártelo.

—Eres el mejor amigo del mundo —dije apretándole el brazo a Robi—. ¡El mejor!

CAPÍTULO 7

El truco

Ese mismo día, después de la escuela, Robi vino a casa a echarme una mano.

—Bueno, ¿dónde está esa poción mágica? —pregunté esperanzado.

—¿Poción mágica? —preguntó Robi.

—Dijiste que tenías un truco, y como eres un fanático de las ciencias pensé que a lo mejor habías inventado una poción especial con tu juego de química; alguna pócima que me convierta de repente en una superestrella del ciclismo.

—Lo siento, pero no tengo ninguna poción. Una cosa es la ciencia y otra la magia. Además, no necesitas la magia para nada —dijo Robi—. Cuando te dije que tenía un truco me refería a una técnica que me enseñó mi papá para montar bicicleta.

—Ah —dije tratando de ocultar mi decepción.

—Vamos, Calixto. No es para tanto —dijo Robi dándome una palmada en la espalda.

—Quizá no lo sea para ti. Al fin y al cabo yo solito cometí la estupidez de desafiar al peor abusón de todo primer grado. Nunca lograré participar en esa vuelta ciclista. Siempre seré un bebito. Un Calixtito.

—La verdad es que ahora mismo estás hablando como un Calixtito —dijo Robi—. Para de quejarte de una vez y busca la bicicleta.

Fui al garaje y regresé con mi bicicleta y mi casco.

—Estupendo —dijo Robi—. El truco es el siguiente. Cuando empieces a pedalear no te mires los pies. Si lo haces empezarás a mover el manillar de un lado a otro y perderás el equilibrio. Mira hacia adelante. Los pies saben qué hacer por sí solos. No hace falta que los mires.

—¿Eso es todo? ¡Pues menudo truco! —dije negando con incredulidad—. Debes estar bromeando, Robi. No va a funcionar.

—Confía en mí —dijo Robi—. Inténtalo. ¿Acaso tienes algo que perder?

—Mi merienda durante una semana, ya que lo mencionas.

—Voy a hacerlo yo primero, ¿de acuerdo? Fíjate bien —dijo Robi mientras se ponía el casco.

Robi se montó en la bicicleta, fue hasta el final de la cuadra y regresó. Impecable. Y eso que no miró al suelo ni una sola vez.

—Vamos, ahora te toca a ti —dijo.

—Bueno, pero no creo que vaya a cambiar nada. Prepárate para ver cómo me estrello. Pero tienes que prometerme que no te vas a reír, ¿de acuerdo?

—Claro, hombre. Tú móntate en la bicicleta. Y recuerda, ¡no te mires los pies!

Me puse el casco y me monté en la bicicleta.

—Tú vigila por si viene Max. No quiero que me vea practicando.

—Tú piensa en lo que te he dicho, que yo me encargo de Max —respondió Robi.

Puse los pies en los pedales y me impulsé hacia adelante. Las piernas me temblaban un poco, pero no miré hacia abajo.

Pasé una casa. Pasé otra casa. Pasé la siguiente.

"No mires al suelo —me repetía—. No mires al suelo".

No podía creerlo. Estaba batiendo todos mis récords de distancia en bicicleta sin ruedas auxiliares. ¡El truco de Robi estaba funcionando! Estaba tan emocionado que me di la vuelta para decírselo a Robi y me estrellé contra un árbol.

Robi llegó corriendo.

—¿Calixto, estás bien?

—Sí, estoy bien gracias a este trasto —dije señalando al casco.

Robi me dio con el puño en el hombro.

—Lo has hecho muy bien —dijo.

—Ya lo sé. Es increíble —respondí sin poder creerlo—. Nunca había llegado tan lejos. Tu truco ha funcionado de verdad.

—Te lo dije —respondió Robi con una sonrisa.

Los dos nos quedamos allí practicando hasta que se hizo de noche. En cada ocasión llegué más y más lejos, hasta que logré ir hasta el final de la cuadra y volver sin detenerme ni una sola vez. Monté bicicleta no como un Calixtito, sino como un chico grande. Y en ese instante empecé a pensar que no era imposible vencer a Max Sellars.

—¿Crees que podré lograrlo? —le pregunté a Robi mientras llevaba mi bicicleta al garaje.

—¿Que puedes lograr qué? —preguntó Robi.

—Ganarle a Max Sellars —dije mientras estacionaba la bicicleta y colgaba el casco.

—Sí, y me muero de ganas de ver su cara cuando se dé cuenta de que le diste más vueltas al circuito que él —respondió Robi riéndose a carcajadas.

—¡Y yo! ¡Va a ser fantástico! Eres el mejor amigo del mundo entero —dije, dándole un gran abrazo—. ¿Qué haría yo sin ti?

—Esperemos que nunca tengamos que comprobarlo.

En ese instante llegó la mamá de Robi a recogerlo.

—Sigue practicando, recuerda mi truco y todos le ganaremos a Max en la vuelta ciclista —dijo Robi mientras se subía al auto.

Lo vi alejarse y le hice un gesto con los dos pulgares.

—Venceré a Max Sellars —susurré—. Venceré a Max Sellars.

CAPÍTULO 8

El gran día

Por fin llegó el gran día de la vuelta ciclista. Había practicado todas las tardes después de la escuela. Si lograba vencer a Max sería el día más feliz de mi vida. Iba a necesitar todos mis amuletos: mi centavo de la suerte, mis calzoncillos y mi colmillo de tiburón. No tardé en encontrar el centavo y los calzoncillos estampados con dos enormes tiburones blancos, pero ¿y el colmillo? Fui corriendo al baño que, por supuesto, estaba cerrado. Susi estaba dentro esforzándose en parecer toda una modelo.

Llamé a la puerta.

—¡Eh, cerebro de puerco, ábreme!

—¡Largo de aquí, mamarracho! ¡Estoy ocupada!

—¿A qué viene tanto aseo? Vas a la vuelta ciclista, no a un baile.

Susi cometió el error de quitar el cerrojo para poder gritarme a la cara, pero en cuanto abrió la puerta le di un empujón y me colé adentro.

—¡Eh! ¿Se puede saber qué haces? —gritó.

—Estoy buscando mi colmillo de la suerte. Tiene que estar por aquí.

—Tú y tu estúpido colmillo de tiburón.

—Para que lo sepas, no es un estúpido colmillo. Y si no consigo encontrarlo estoy seguro de que perderé la apuesta.

—¿Qué apuesta?

"Ay, no. ¿Por qué habré mencionado la apuesta delante de ella?", pensé.

Decidí que lo mejor sería hacerse el sordo.

—¿Qué apuesta? —volvió a preguntar.

Me quedé con la boca cerrada.

—Hola, base llamando a Calixto. Te

he preguntado que de qué apuesta estás hablando —repitió por tercera vez.

Claramente, no estaba dispuesta a rendirse.

—No es nada. Se trata de una estúpida apuesta que hice con Max —murmuré.

—No puedo creer que hayas hecho una apuesta —respondió Susi sonriendo—. Cuando se lo diga a papá y mamá te van a castigar.

La agarré por los hombros.

—No, por favor, no se lo digas —supliqué.

—¿En qué consiste la apuesta? —preguntó.

—Si no dices nada te hago la cama durante toda una semana.

—¿Toda una semana? —respondió Susi—. Pues sí que tienes miedo a que se lo diga.

—¿Trato hecho?

—Está bien —respondió.

—¿Juramento de meñique? —pregunté extendiendo mi dedo.

—De meñique —dijo Susi enganchando su dedo con el mío—. Ah, y por cierto, tu colmillo de la suerte está en ese cajón de ahí. Lo vi junto a mi cepillo de dientes.

Agarré el colmillo y salí corriendo hacia mi habitación.

—¡Gracias! —grité—. ¡Eres la mejor hermana del mundo!

—¡Ya lo sé!

En cuanto me vestí bajé volando a desayunar.

—Mira quién está aquí —dijo mamá con una sonrisa—. Lance Armstrong en persona.

—¿Estás preparado para el gran día, Ratón? —preguntó papá—. Con todo lo que has practicado seguro que te va ir muy bien.

Mi mamá se acercó y me dio un abrazo.

—¡Ay, Calixto! ¡Me parece increíble que ya seas un chico grande!

Estaba empezando a ponerse un poco

sentimental.

—Mami, ¿puedes dejar de abrazarme? Me estás espachurrando.

—Perdona, mi amor. Es que estoy muy orgullosa de ti.

—Creo que voy a vomitar —dijo Susi impaciente—. ¿Qué hay para desayunar?

—Mis dos campeones van a necesitar un buen desayuno, así que les he preparado panqueques de arándanos, huevos revueltos y tocineta —dijo mamá mientras ponía dos platos rebosantes de comida ante nosotros.

—¡Qué rico! —dije relamiéndome—. ¡Mi desayuno favorito!

Empecé a devorar el desayuno como una fiera.

—Más despacio, cariño —dijo mamá—. Aún queda mucho tiempo antes de la vuelta ciclista. Si comes rápido te dará dolor de barriga.

—Ya lo sé —dije—. Pero necesito mucha

energía porque hoy pienso dar un montón de vueltas.

—No te obsesiones con el número de vueltas —dijo mamá—. Los dos ya tienen muchos patrocinadores y el refugio de animales estará muy agradecido por el dinero que recauden.

Puede que el número de vueltas fuera

irrelevante para el resto del mundo, ¡pero para mí significaba todo! Ganarle a Max era mi entrada al mundo de los mayores. No estaba dispuesto a que ese abusón me volviera a llamar bebito.

CAPÍTULO 9

Los verdaderos ganadores

Mientras íbamos hacia el lugar donde tendría lugar la vuelta ciclista, noté que me empezaban a sudar las palmas de las manos. ¡Ay, no! ¿Y si se me resbalaban las manos del manillar? ¡Qué desastre! Me las sequé en los pantalones y respiré profundo.

—Calixto, ¿estás bien? —preguntó mamá.

—Muy bien, mami —dije tratando de ocultar mi nerviosismo.

Pero aquello no fue nada comparado con lo que sentí al llegar y ver a Max tan sonriente. Casi vomito solo de verlo.

—Bueno, ya llegamos —dijo papá—. Vamos a bajar las bicicletas.

Bajamos nuestras bicicletas y nos acercamos al resto de los chicos.

—Hombre, miren a quién tenemos aquí —dijo el abusón de Max—. Si es el pequeñín de la clase. ¿Dónde dejaste tu triciclo?

—Ay, Max, me muero de la risa —respondí.

—Yo en tu lugar no me burlaría tanto —dijo Sonia mirando a Max—. Calixto y yo vamos a darte una lección de ciclismo. Y entonces serás tú quien llore como un bebé.

Luego se dio la vuelta y me chocó los cinco.

Sonia es supervaliente. Ojalá pudiera ser como ella.

En ese momento, Lola, del refugio de animales, nos empezó a dar instrucciones.

—En primer lugar, chicos y chicas, quiero darles las gracias en nombre de todos los animales del refugio por participar en esta vuelta ciclista. El dinero que recaudemos nos servirá para cuidar de ellos hasta que les encontremos un hogar definitivo. Hemos marcado un circuito por allí —dijo señalando con el dedo—. Como saben, este evento consiste en dar todas las vueltas que puedan en una sola hora. Pero recuerden, no se trata de una carrera. Así que diviértanse.

"¿Cómo que esto no es una carrera? ¡Claro que era una carrera! ¡La carrera más importante de mi vida!", pensé.

Llevamos nuestras bicicletas a la línea de partida y nos pusimos los cascos.

Robi se puso a mi lado.

—Buena suerte, Calixto, y recuerda nuestro pequeño secreto, no mires al suelo —susurró.

—Muchas gracias, Robi. Voy a mirar hacia adelante todo el tiempo, y Max va a pasarse toda la carrera mirándome la nuca —dije riendo.

En cuanto Lola dio la señal, me monté en la bicicleta y salí pitando. Mi salida fue bastante buena. Tenía un buen presentimiento, pero cuando menos lo esperaba Max se me adelantó.

—¡Buena suerte, tortuga! —gritó.

"Ay, no. Esto no puede ser verdad. Estoy perdido. ¿Qué me hizo pensar que podría ganarle a Max Sellars?", pensé

Me empezó a temblar el manillar. Estaba perdiendo la concentración. Casi me caigo.

Luego oí una voz por detrás.

—Vamos, Calixto, ánimo. Aún puedes conseguirlo. Demuéstrale a ese abusón que no eres ningún bebito.

Sonreí. Reconocería esa voz en cualquier sitio del mundo. Era Sonia. Iba tan rápido que ya daba su segunda vuelta.

Respiré profundo. Esta era mi gran oportunidad. Le tenía que ganar a Max.

"Ahora o nunca", me dije. Y entonces empecé a pedalear con todas mis fuerzas.

"No mires al suelo. No mires al suelo", me repetía.

Un poco después, ya estaba al lado de Max. Y está vez me tocó a mí decir:

—¡Buena suerte, tortuga!

¡Qué gusto decirle eso en su propia cara! Max se llevó tal sorpresa que casi se cae de la bicicleta.

—Eh, ¿de dónde has salido, tiburoncito?

—Mírame bien —respondí—. Porque la próxima vez que me veas será en la meta final.

Luego pasé por su lado a toda velocidad. Max intentó alcanzarme, pero no pudo. No, señor. A partir de ahí no me volvió a pasar nunca más.

Cuando acabó la carrera, Sonia y Robi vinieron corriendo hacia mí. Sonia me abrazó y se puso a dar saltos de alegría.

—¡Lo conseguimos! ¡Lo conseguimos!

—¡Así se hace, Calixto! —dijo Robi.

Max intentó escabullirse, pero Sonia lo

agarró.

—¿Adónde vas tan deprisa? Habíamos hecho una apuesta, por si no te acuerdas. Y Calixto y yo tenemos que decirte qué queremos de merienda el lunes.

Luego nos entró tal ataque de risa que casi nos orinamos en los pantalones.

Gracias a mis grandes amigos Sonia y Robi aquel fue el día más feliz de mi vida, ¡y Max no podrá volver a llamarme bebito nunca más! Pero los verdaderos ganadores fueron los animales. Logré dar un total de cuarenta vueltas y recaudé cincuenta y dos dólares para el refugio de animales.

Supongo que mi próximo desafío será convencer a mi mamá de que adoptemos un perro.

QUERIDO LECTOR:

A mí me encantan los perros. Tengo cuatro: Baxter, Camby, Sonny y Miki, y los quiero a todos por igual. Algún día me gustaría llegar a tener diez.

Todos mis perros son adoptados. Fueron rescatados por un refugio de animales de mi barrio y allí fue donde los encontré. Si tú o tu familia están pensando tener un perro o un gato, consideren adoptarlo de un refugio de animales. Estoy convencida de que encontrarán la mascota perfecta para llevar a casa.

Ojalá hayan gozado tanto leyendo *¡Ruedo como puedo!*, como yo escribiéndolo.

¡FELIZ LECTURA!

Abby Klein

Pasatiempos de Calixto

NOTAS SOBRE TIBURONES DE CALIXTO

TIBURÓN ESPINOSO

Es una de las especies de tiburón más común, y se puede encontrar en muchos mares del mundo.

Los bebés pasan dos años dentro de sus madres antes de nacer.

Tienen espinas o púas venenosas en las aletas dorsales.

Son los tiburones que viven más tiempo. ¡Pueden llegar hasta los 100 años!

ADIVINANZAS
DE CALIXTO

Usa el siguiente código para averiguar
estas adivinanzas.
—Calixto

a	e	m	n	o	p
☺	✳	☹	■	#	◆

r	s	t	g	l
@	→	$	●	⊙

Es animal vertebrado, del hombre el mejor amigo,
a veces es cazador y otras un buen lazarillo.

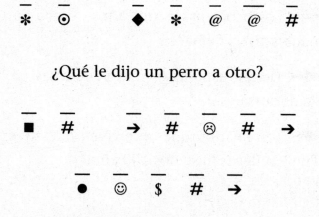

¿Qué le dijo un perro a otro?

92

CORREAS ENREDADAS

Calixto, Robi y Cleo pasean perros para ganar dinero. Ayúdalos a averiguar qué perro está paseando cada uno.

El perro de_____ El perro de_____ El perro de_____

UN CUENTO DESCABELLADO
por Calixto Fin

Ayuda a Calixto a escribir un cuento rellenando los espacios en blanco de las páginas siguientes. La descripción que hay debajo de cada espacio en blanco te dice qué tipo de palabra debes usar. No leas el cuento hasta que no hayas rellenado todos los espacios en blanco.

SUGERENCIAS ÚTILES:
Los **verbos** son palabras que indican una acción (como correr, saltar o esconderse).
Los **adjetivos** describen personas, lugares o cosas (como apestoso, ruidoso o azul).

Cuando tengas tu primer _____, te hará
tipo de animal

falta un / una _____ para guardarlo. Tu
tipo de mueble

mascota también necesitará un _____ y un
juguete

_____ para jugar.
otro juguete

Cuando tenga hambre, dale mucho _____
tipo de comida

y _____. Pónselo en una _____. Mantenla
tipo de bebida   cosa

limpia lavándola con un _____ _____.
cosa   adjetivo

Debes ponerle nombre a tu mascota, así que llámala _____. Dile, "Ven aquí,
_{persona en la habitación}

_____", para comprobar si te obedece.
_{la misma persona}

Si quieres puedes vestirla. Ponle un _____
_{prenda de vestir}

y una _____. Tú también puedes ponerte
_{prenda de vestir}

algo especial. Si lo quieres pasar en grande,

ponte tu _____ favorito.
_{prenda de vestir}

Tu mascota debe hacer ejercicio. Llévala

a _____ y déjala que _____. Puedes
_{lugar} _{verbo}

usar _____ para que aprenda a _____
_{comida} _{verbo}

y a _____. Cuando tu _____ esté
_{verbo} _{mismo animal}

_____ te lo demostrará.
_{adjetivo}

Si tú _____ y _____ con tu mascota,
_{verbo} _{verbo}

acabará siendo tu _____ amiga.
_{adjetivo}

¿Estás listo para Calixto?

¡Calixto hará cualquier cosa por perder un diente!

¡La investigación nocturna de Calixto trae consecuencias inesperadas!

Calixto ha encontrado algo perfecto para mostrar en clase, ¿lo podrá llevar a la escuela?

¿Puede Calixto quitarle a Max el puesto disponible en el equipo de hockey?

¿Se puede conseguir talento por arte de magia?

¿Podrá Calixto espantar a los vampiros de sus sueños?

¡No te pierdas las otras aventuras de Calixto!